MIREILLE LANCTÔT

Pomme de Pin

paroles   poèmes   dessins

Éditions Abeille Soleille

Illustration de la page couverture	Mireille Lanctôt
Dessins	Mireille Lanctôt
Montage des textes	Maryse Trottier Lanctôt
Conception graphique	Dominique Pothier
Photocomposition	Éditions Paulines
Photographie	Didier Naggiar
Coordination de la production	Ignace Cau

A242712

Dépôt légal 3ᵉ trimestre 1985.
Bibliothèque Nationale du Québec
Bibliothèque Nationale du Canada.
I.S.B.N. 2-9800430-0-1.

Liminaire

*Ma fille aînée Mireille est décédée accidentellement
le 3 janvier 1984 à Montréal, au début de sa trentaine.*

*Dès son adolescence, lors d'une année d'études
qu'elle fit à Mégève en France, elle confiait dans
ses lettres que sa vocation serait celle d'écrivain.*

*L'ensemble des écrits de Mireille comporte poèmes,
journaux, lettres, réflexions. Pour construire ce livre,
j'ai prélevé les textes qui me semblaient les plus
représentatifs de sa démarche entre les années 1976 et 1982.
J'ai voulu rester fidèle à son projet d'écriture en
respectant l'unité du contenu.*

*Mireille signait parfois ses lettres et ses dessins
du pseudonyme Miro.*

Maryse, sa mère.

L'écriture me semble être la seule vérité.
Le lieu parfait des résolutions. Des recommencements.
Chaque mot est renaissance, projet nouveau.
Chaque lettre formule un désir.
Chaque phrase linéaire marque le mouvement.
Chaque page BLANCHE est départ, mouvance.

De même chaque dessin est une île,
chaque couleur un petit pays.
Chaque pinceau chinois
un voyage océanique bleu et blanc.

1er juillet 1979

Mireille Lanctôt

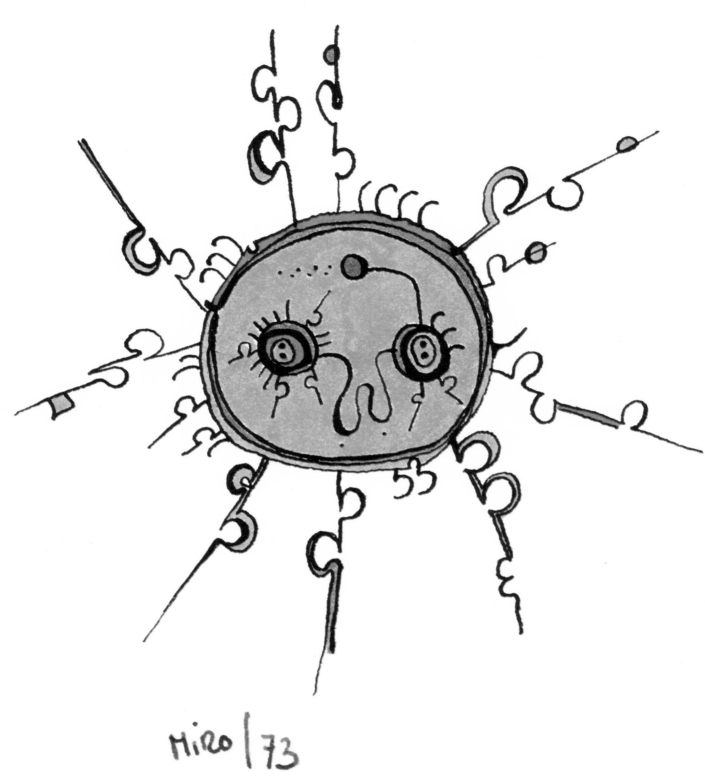

Miro | 73

À toi Mireille

À Raymond
Martine
Diane
Dominique
Sophie

Votre soeur aînée
Notre fille si joyeuse et courageuse
À tous ceux et celles qui t'ont connue et aimée
À tous ceux et celles qui font acte d'écriture
Je dédie ce recueil de textes inédits.

J'ai souvenance de toi, Mireille,
comme d'une cathédrale aux larges voûtes
aux vitraux multicolores que vient illuminer
un soleil radieux.

En toi je me recueille
Autour de toi
Je rassemble tes nombreux amis.

Maryse

Préalable à la Cocotte d'argile

Le 23 novembre 1976,

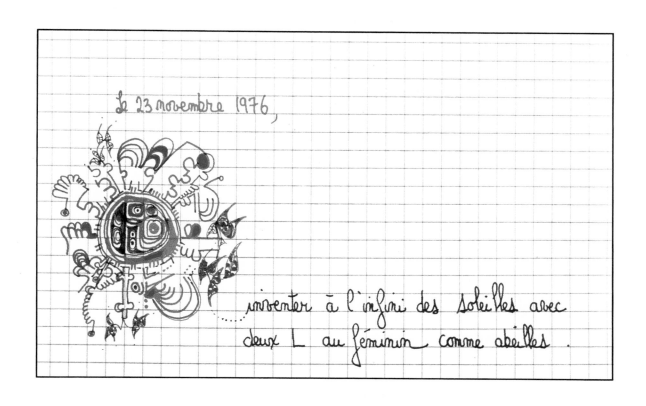

inventer à l'infini des soleilles avec
deux L au féminin comme abeilles.

Elle recopie à l'encre ses désirs,
À jours, sang, mois parallèles.
Elle coule, fabulatrice d'un réveil
encadré de tendresse.
Tôt le matin à la brunante, dans les
champs, elle boit d'une gorgée toutes les
interactions de couleurs.
Elle fabrique la lecture des peuples.
Mobile, dans sa jouissance, elle trouve son savoir
dans la faille d'avant la société.
Ici, c'est le fief poétique.

Décembre 1976

Le lac bleu glace le soleil éparpillé dans les
champs de solitude. Les bancs de neiges soufflent
sous la causerie du vent dans les vergers.
Je lis dans ce soleil muet, trop tranquille.

Mercredi le 22 décembre 1976

Une lourde tempête de neige lisse qui glisse
et moi désirant la voir, la toucher, l'entendre
m'emmitoufler dans sa somnolence jusqu'à retrouver
le rire. Et encore le rire, non plus comme un chuchotement.

Mercredi le 29 décembre 1976

je pense au texte de la Cocotte d'argile

1er janvier 1977

La Cocotte
d'argile

Prémisse

Sur les cocottes

" Les cocottes, comme tous les vases d'argile, doivent être manipulées avec précaution. Malgré leur apparence assez robuste, elles sont fragiles aux chocs durs, réfractaires aux écarts brusques de température et, par leur porosité (qualité absorbante du matériau) rétentrices des fumets et liquides ambiants intérieurs et extérieurs. C'est particulièrement cette dernière caractéristique qui donne aux Cocottes la propriété aromatisante de cuisson qu'on leur connaît. Par la chaleur du four la croûte argileuse transmet lentement, vers l'extérieur, le four, et vers l'intérieur sur les ingrédients, les fumets, l'eau, la marinade qu'elle retient comme une éponge. "

— dans: <u>Recettes pour les cocottes d'argile</u> de Carmen BÉGIN, page 11.

Abeille au féminin avec deux L comme Soleille.

Le corps de l'abeille musicalement présent, comme une voisine qui de son balcon alimenterait mon quotidien de ses voyageries multiples multipliant ainsi les miennes.

À l'île aux Coudres dans janvier où la mer gelée à marée haute se prolongeait en moi comme un long sourire de femme, givré à l'infini.

Mon corps se dresse sur ses longues jambes, articulé de crampes et d'anciens désirs, fragile dans sa volonté de refus, dans sa lourde marche ... marcher jusqu'aux retrouvailles du Corps fêté.

Je compte mes nouveaux mots.

J'écris ma connaissance nouvelle.

Je ne finirai rien . Je le sens . Je le sais.

Ce que j'épousais, c'était la solitude.

Je dessinais les moindres recoins de mon habitat.

J'emménage les mots dans ma maison et je plante

les plus vieux dans la terre d'une jardinière. Les

autres, les plus militants, je les affiche aux regards en plein

Soleille.

Ces mots-là courageusement vont vivre dehors

exposés sur des plates-bandes. Ces mots seuls sont beaux

parce qu'ils tendent à la vérité, ils sont à l'origine de

mon déménagement. C'est ici que j'installe la rupture,

et cette nuit-là, j'ai fait approvisionnement de tendresses,

j'ai tassé en moi des quantités immenses d'amours.

J'ai dormi allongée à côté de son corps, de sa tendresse

vieillie de mille gestes trop répétés, de son cœur

presque éclaté, de son désir d'eau et de salives.

Veilleuse de vie, j'ai commencé ma connaissance

véritable de la vieillesse.

À la toute fin mon corps était si proche du sien

et j'ai senti —   qu'elle se libérait de sa féminité,

originellement elle retrouvait la forme, toute pleine

juste d'elle,

tiède d'odeurs des lilas du huit juin.

J'aurais voulu la retrouver, l'illustrer comme un paysage

familier, la forme pleine et muette —

Cocotte d'argile, si tangible.

Depuis, je la retrouve comme une faim étrange.

Les mots sur elle sont restés sur son corps, et ma mémoire est

toute documentée et je recueille d'elle sa présence, jusqu'au

dernier mot de vie.

— libérée aussi de sa vieillesse, âgée du désir

de voir les corps heureux toujours, d'avoir tant voulu être

parmi nous. Sa mort m'oblige à continuer la femme qu'elle

voulait être dans sa promesse "d'être" mobile.

22

Promesse tangible dans un corps tout rond.

J'ai gardé d'elle l'amour de la fête.

Elle avait le sens de la fête.

La fête, c'était Sa fête, son milieu naturel
où elle revivait comme à l'origine du matriarcat, ses désirs
— omniprésente et presque sucrée.

Il fallait que nous soyions toutes là comme si c'était la
dernière fois. Du goût de Sa fête je m'en souviens comme
de celui de l'eau d'érable, très rare, un peu privilégié, excessif.

Je m'écoule dans le moule à sucre.

J'enfile dans ses veines rouges — vie —
Comme un sirop guérisseur.

Je me sens, sève, d'histoire de maintenant — lutte longue
comme froidure, seule survie pour être ...être là visible
toutes visibles.

C'était la charnière, elle tendait le pont entre la nuit et
l'économie de la lumière —.

Son Savoir, c'était celui des longs détails de nos toutes partielles histoires. Intimement veilleuse de la vie — avide à être même si toujours seulement invitée.

L'invitée de toujours —

Grand-maman jolie de la parole informelle, du sucre au coco, du gâteau au lait chaud, de la tarte aux fruits, des meringues blanches.

Les mots sont des gravures de toi.
Avec mes yeux lucides, maintenant je vais élever des abeilles et rédiger leurs mémoires — étrange métier que l'écriture...

Aurélie, c'est son "vrai" nom, grand-maman jolie, celui de la tendresse cousue sur son corps.

Vallon de lait
gros Seins, osmose si tangible

Ton corps d'été, et d'hiver, suave — objet premier si perceptible, ta chair qui chante, ta chair Souffrance qui m'a touchée jadis dans ta dernière nuit.

Je suis serrée

et pour ne pas mourir je navigue tout droit devant, les yeux
grandement allumés irrévocablement tendus comme des coups
de Soleille.

Sur l'eau en dégel , quelques glaces restent désespérément accrochées
à l'hiver.
              Abeille en forme de miel, merveille infinie, la forme
ne s'achève pas . Aurélie , causeuse de petits dires mais muette
en notre Sol ,   gardienne silencieuse toujours au rendez-vous,
pleine des grands silences .   Grand-maman du mois de juin,
qui dormait en hiver la fenêtre toute voile ouverte sur la poudrerie,
qui avait toujours trop chaud   comme si ___ tu avais
        voulu économiser ce trop plein de chaleur pour
        tricoter des lainages à nous toutes.

J'aurais le goût de crier pour que toutes l'entendent
              grand-maman jolie de MES amours
              grand-maman jolie de NOS amours
de terre cuite est fabriquée la cocotte qui maintenant t'enveloppe
et te chauffe.

Ta tendresse toute bercée de chants inutiles, de coulées, c'est l'eau de Sève de par les érablières qui déborde comme le trop d'amours de ton ventre rond.

Urgente est ton insertion politique, « je » vais porter de cuisine en cuisine *la Cocotte* d'argile et leur parler à chacune, des géraniums rouges,

Projet sans fin
  ^être sa propre Sage-femme
    dedans, mon corps prend l'initiative.

Prélude

Sisyphe, l'ancien, c'est le vieux mythe.
Aurélie, c'est le début, le " je " sans cesse renouvelé
    vers la retrouvaille d'elles nombreuses.

il faudrait imaginer
Aurélie heureuse

Mireille Lanctôt

(Le 23 janvier 1977)

26

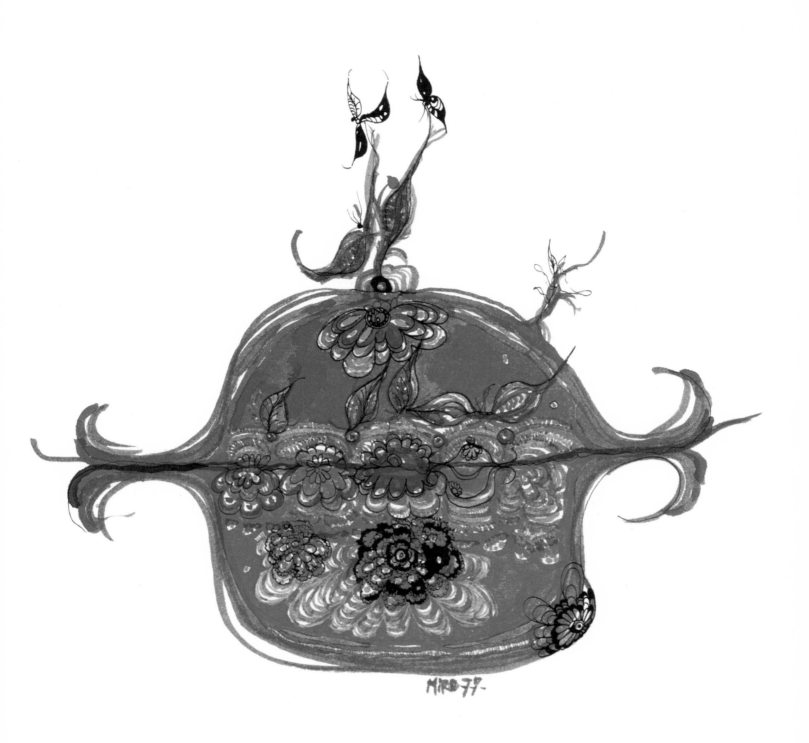

J'ai de toi cette cocotte d'argile
terre et souvenance.
Fin de toi maintenant écrite.
Faim toujours aussi de toi.

(23 mai 1977)

C'est ma fête
un quart de siècle se poursuit dans mon corps histoire
qui continue de fourmiller. Jour chaud.
Pour la première fois un an de plus sans la présence
de ma grand-maman jolie.
Journée de silence, solitude brûlante jusqu'aux os sans elle.
J'entre dans la lutte quotidienne de la survie
avec elle la chaude ambiance de la voix-retour
la faille de l'attente, le pli du corps, le pli du tissu
aujourd'hui, le corps tiré, mis à nu, le non retour.
      Grand-maman où es-tu aujourd'hui?
       où joues-tu tes cartes fines?
Des océans dans ma gorge, des solitudes infinies
dans mon corps.

Un quart de siècle aujourd'hui commence avec
Amours sauf le pli du corps
qui marque ton absence, grand-maman jolie,
Mireille en souvenir par toi.

ce lundi 23 mai 1977

Je me souviens d'elle, mémoire du pli de son corps
plumes d'oies, j'ai mémoire de la vieillesse, de sa mort.
Souvent, quand elles sont vieilles, elles jouent
aux cartes, pour être ensemble, plusieurs, sociables,
se protégeant d'un choix qui pour elles n'en est pas un.

CHOISIR c'est traverser le corps de la mort
courageusement en aimant, la toucher, la caresser
pénétrer sa tiédeur, la crier, l'écouter, la veiller.
CHOISIR c'est d'elle ne plus avoir peur...

Pomme de pin

pour Maryse, Raymond, Aurélie
+ 2 Dodo
Martine, Diane, Dominique, Sophie,
Patrick, S, Paul, François, Monic, Geneviève,
Nicole, Lise, Isabelle, Madeleine, Jean-Marc
Germaine, et tous les autres ...

Ce cahier est né le 23 mai 1977 de Mireille Lanctôt, la bisonne poélitique, nom donné par Patrick Straram, le bison ravi.

Mireille l'abeille.

lundi le 23 mai 1977
être sa propre sage femme
un quart de siècle   Mireille.

J'aime m'entendre écrire —
comme si le bruit de vivre
était à chaque coulée d'encre,
entendu.

Écrire c'est se sentir
vivre avant même de le
savoir.

Écrire c'est entendre le
désir accentué du sujet en procès.

Écrire c'est sentir le
projet du vivre souffler
sa bourrasque.

Projet de livre
Pomme de pin sera ...

Lundi 17 octobre 1977

Pomme de Pin
   Du vert par l'hiver
   Je suis fidèle à
   cœur de froid
   Je suis fidèle même
   Si dehors froidure
   à Pomme de Pin
   Rouge de toute
   Saison .

Vendredi 21 octobre 1977,

Pomme de pin sera ...

Nous sommes de plusieurs lieux,
nous avons plusieurs noms
et pomme   de pin sera.

Pomme de pin c'est un de ses noms, celui
qu' elle se fabrique d'écarts en écarts.

Son souffle se confond parfois avec leur
salive, quand ils aventurent leur nouveau
corps lourd de son écorce, et ainsi, avec
elle partagent les fruits, le sommeil et de
chaque jour, le travail.

Vendredi   21 octobre 1977

Pomme de Pin pour vivre
doit rester   plus de 9 H par
jour les yeux grands ouverts
c'est tous les jours ainsi
le travail quotidiEN.

Pomme de Pin
sera un manuscrit à l'encre noire,
illustré par moment.
Combative et lucide comme un
journal de tous les jours .
   Amoureuse comme une amante
de soirs choisis .

Pomme de Pin sera elle tout le temps
et parfois un peu lui dans sa
dynamique et son humanité .
Récit , peinture elle vivante
autonomiste comme la Corse
révolutionnaire des maquis de montagne .
   Aussi elle aimera dormir
le long des étés pour reposer son
corps lourd de tant de désirs
Et à chaque printemps elle peindra ses
volets blancs pour dire la saison
nouvelle .

30 octobre   1977   Préalables à Pomme de Pin

Pomme de Pin
hivernera paisiblement
dans } ascèse | volontaire et nécessaire
une {

        préalable à elle

            je suis préalable à moi
            dans un demi temps
        en fin d'automne
            bientôt je vais dessiner
        les soirs   les croquis accumulés
        dans ma mémoire   et ne pas oublier
    d'arroser mes plantes / vertes

        grenadier à fruit doux

    pour lutter contre la grippe une
            grenade rouge et deux pots sucrés
    de   leur miel abeilles ocres.
    un trait de vécu que l'on peut
        prolonger à l'infini.

Préalables à ELLE

Préalable à ELLES

Je laisse le silence s'installer
j'observe et c'est le début du
travail
je prends le temps qu'il me faut
pour prendre conscience d'elle
et peut-être de la Raison
qui   la veut être . Doucement je
me masse .

Tactile je suis tactile en mon sol assoupie en mon sol
reposée à côté de toi sans peur sans lutte reposée berceau fief

(20 novembre 1977)

Elle est dépliée
ronde et douce toute entière
Je la vois lisse comme une
légère crème de jour,
sans parfum aucun.

Montage d'envols
Casse-tête où je la retrouve sans
cesse mais dépliée maintenant au
lendemain de son premier massage.
Crème argileuse
ascèse

(26 novembre 1977)

Matin sur un fantasme

Matin sur un fantasme,
mie de pain.
J'écris d'elle le désir pour la
première fois l'oser écrire, décrire
battant en aventure, la toucher si
tendrement même, elle même.

J'hiverne le tronc d'arbre de mon désir
d'elle neige écorce comme un partage
de toute la tendresse qui prolonge mon geste
à travers elle.

Plusieurs familles ont froid en décembre et chauffent
leur maison avec de l'huile, je me demande si
mon fantasme fait partie de leur histoire.

Je ne sais si je dois quand même entreprendre la
mienne — et s'ils ne peuvent pas la lire?
C'est ma peur.
Le fantasme survenant, je désire m'étendre en son
sol accueillant, terre battue froide, lieu premier
de ma naissance.
Je dors en elle, en ceci se modifie la trajectoire
de mon histoire perméable à l'autre, MOI, se
taille par d'elle la connaissance. ILS nous
regardèrent comprirent et attendirent et
là je l'ai aimé. IL je l'aime encore.

Écrire un fantasme
c'est l'oser vivre dans
un nouveau seuil —
Le voir en mouvement devant soi,
sorti de son clivage habituel
inconscient/conscient.

Il revêt alors une vie autonome,
exigeante; j'aime pour la première
fois cet espace de moi et l'exigence
qu'il cristallise.
Je n'habite plus une famille,
j'en porte les marques, j'aventure
l'urgence d'une force intérieure
recherche brute du vivre
entr'ouvert vers l'autre, elle
tendrement par moments, lui seulement
si je le choisis complémentaire.

Le 15 décembre *1977*

Mont Tremblant
Noël 1977
    Ce fut une très belle fête

        Je navigue à marée basse,
encore retirée... maintenir mon corps
        avant le sel de la pulsion dans
        cet état pré-historique où la femme
    ne connaissait pas encore le feu.
        Perceptible aux frissons, à
    l'écorce de ses désirs bruts.

Recommencer à l'année zéro

dans ma chambre
une plante verte est
suspendue et me donne
à chaque regard une
bribe de jardin que j'aime
me reposer en cette écriture
parchemin où mon corps s'oublie
petit , ancienne enfant.
Je suis une ancienne enfant
je me modifie lentement en cet hiver
Ne pas endormir ma pensée dans le
travail de tous les jours, qui utilise
l'énergie créatrice.
Lutter c'est créer
la survie. 30/12/77

Barbara
chante

Vendredi 30 décembre, 77.

Mentir aux autres c'est pas
tellement grave, ça fait partie de
l'histoire, celle orale que tous les
jours on raconte sauf amis.

Mais mentir à soi — se mentir
Tue la révolution de l'être, obligatoire ...
seule cette révolution fait que
Vieillir, c'est vivre en plus, parceque,
à chaque parole, devenir un peu plus
proche   de soi, de ses contradictions
et tendre à s'apprendre ,
         nous sommes perfectibles ...

Pomme de Pin décrit une autre économie —
lentement se souvient de ces hivers d'alors ...
cachés dans la genèse même de la civilisation
occidentale.

Pomme de Pin s'élabore en sujet

blanche de l'hiver qui

l'habite et reconnaît en elle

le multiple de son désir.
indéfiniment autre en moi-même
doublée

lundi de tempête le
9 janvier 1978 —
) nuit de poésie
nuit d'écriture
enveloppée dans la
couverture bleue et grise du
guatémala , ENcens et cheminée
des vents en écoute —
J'écris et en soutiens
la fatigue —
je recommence à saigneR .

52

Je veux écrire et dessiner

jeudi 2 mars 1978

Samedi   1
dimanche   2
        3   4   5   .6   7
Lundi mardi mercredi jeudi vendredi
Samedi 8
dimance 9   Lundi 10

À l'écoute avant tout le contrôle du corps
le sentir à soi ouvre l'acuité, la ...
lucidité plus grande, la légèreté ...

53

Aujourd'hui 30 mars je récupère au fond de MOI
des bribes de sagesse
m'envahir de sagesse pour mieux vivre
les secondes de liberté qui me restent
Écrire pour continuer de vivre, ME vivre.

Histoire d'elle, sans enfants, en marche
dans un présent NU, marginal, solitaire.
Et Pomme de Pin aimait
par-dessus tout les matins reposés,
heureux, pleins d'énergie, de potentiel. Et le matin
Pomme de Pin inventait la solidarité des femmes.

Je navigue à marée basse encore retirée.
Je suis sel et *soleille*, je suis son.
Je m'entends sonore — j'écris, je vis.

J'ai plusieurs noms, je suis de plusieurs lieux
et, jamais je n'ai dormi, je veille tous les soirs la
fenêtre entr'ouverte.

Moi, la femme, l'abeille et le miel
la mère, la même.

La nuit seulement, je parle de mon sol d'Abeille et, elle m'écoute
l'autre, ma sœur encore habitée par les landes blanches du
moyen âge. Je moisson-E, je suis moisson d'avril. Je viens
de la terre ruche ensommeillée. Le sommeil d'un quart de
siècle s'écrit au commencement de ma blessure. Je suis née
de cette blessure de la saison femme.

Aujourd'hui je m'accueille, je m'apprivoise. Manuel est mon savoir je suis toute manuelle, MAIN. S'apprivoiser c'est avoir moins peur, oser entreprendre l'archéologie de notre silence, de notre mort. J'ai déjà apprivoisé une mouette et, depuis ce jour, je suis aussi ELLE en sa solitude de plumes repliées, en ce choix de la mer que j'habite par saison choisie. Mon souffle se confond parfois avec le sien et ma salive imbibe son corps lourd de mon écoute.
C'est ainsi que tôt le matin j'aime partager avec elle les fruits, le miel sucré.. Je ferme les volets blancs. Elle aussi aimera dormir le long des étés blancs. Deux abeilles ocres se dessinent, assoupies, reposées. BERCEAU. FIEF.

Je parle d'elle en moi, comme si elle était une, unique au monde j'épouse d'elle jusqu'aux antiques espaces de ses carnavals, de ses désirs d'alors, nommés subversifs, à la lutte d'aujourd'hui qui crée sa survie.

Je me déplie longuement, mes mots sont montage d'envols.
Je me déplie longuement. Casse-tête où je la retrouve sans cesse.

Je me déplie longuement, crème, argile au lendemain d'un premier massage.

Son nom, Pomme de pin. Pomme de pin, c'est la santé
de tous les jours dans son obsession d'être bien.
Tous les matins, elle brasse des jus de légumes-fruits.
En mâchant lentement des céleris et des poires, elle retrouve
les goûts de terre rouge-ocre et, à même la terre battue étend
son corps long — écoute, s'écoute.

Ici, justement à ce moment-ci, l'histoire pourrait recommencer.
Mais encore la terre-mère, c'est le pouls de l'enfant qui bat
dans le même coeur presque éclaté de battre pour deux.
Le corps écorce de neige, lieu premier de ma naissance, je dors
en elle, encore, MIE de PAIN.

J'aime cet espace de moi et l'exigence qu'il cristallise.
Pomme de pin s'élabore en sujet, doublée par la mémoire
de la MER (E). Brume et encens. J'entends en toi la terre humide
et sauvage de nos repos. Je touche saigner mon passé,
je suis plurielle. J'aime la cuisine toute déployée sur le parc,
alimentée de grenades rouges, de riz et d'herbes fines.

Mon corps oublié, habitué au sommeil,
ne sait plus son langage d'origine, oublié,
dans la vieillesse d'une ancienne terre d'avril.

Je m'anime au creux de ses rides, je la prolongerai en plein jour
à même ce corps oublié, à même nos peurs réunies.

La mort d'une femme de 80 années nous dit notre vieillissement.

Son corps oublié nous parle à voix basse mieux que tout
de la naissance du jour, celui qui prend source à même
ses flancs chauds.

Peur de son corps oublié, parce que aussi à chaque fois
retrouvé, familier, éveillé au matin de chaque maison tiède.

Je l'entends m'écrire de son potager du printemps, étendue
sur la mer... entre le soleil blanc et la lenteur de la neige.
Je me fais rivière rivière du Nord, au bord de l'assoupissement.
Souple et fluide je me touche, je transpire, je suis jours,
jouissance sentie de mon vieillissement. Je désire sa sagesse.
Je repars en SON, son corps oublié c'est mon corps oublié
en elle depuis de nombreuses enfances.

Je m'entrouvre en mon sol, audible comme un son de musique.
J'ai appris à aimer le toucher tendre de ta vieillesse.

dimanche le 16 avril 1978

Fête de Maryse

JE aujourd'hui comme si demain

Je veux vivre aujourd'hui comme si c'était
mon seul jour unique de vie.

Sonder la terre originelle de ma peur
épouser la transparence de l'eau, vivre mon
corps effilé, mouillé, senti à partir de
JE en marche

21 avril 78

Toujours plus
je continue à vivre

dimanche le 7 mai 1978
            Annie Leclerc

Comme dans ses livres
j'ai retrouvé l'extraordinaire
        gôut salé et sacré et sucré
            de la vie .
ses mains longues d'écriture
vitale   Racine pousse
    femme et belle
        je suis bien
        et madeleine

Fleur de Lys
pouliche ensommeillée

Février 1978.

FLEUR   Moi seule en sais l'importance.
Moi seule arpentais les champs de cette amitié.
ELLE, CAMARADE DE Solitudes,
de pluies, de matins gris, de
rosées précoces, de galopades sonores et
muettes. C'est la première peine entre moi
et Moi; je la vis   en entier comme blessure.
ELLE, Camarade des partages,
des patiences à la fois libre et
présente, complice de mes morts ...
J'entends en toi la terre humide et
sauvage de mes repos, Lieux Communs.

Aujourd'hui tu vas mourir, en cet instant
de vie où tu te roules de neige,
de puissances de vie.
Je t'ai apprivoisée et voulais continuer de t'aimer.
Dans Ta chaude parole entrecoupée par les
saisons, où,   continuer ...

65

12 février 78 .

il faut savoir __où__ continuer ...
Ma terre libre saigne sa mort.
Je connais un peu mieux le lieu de
ma mort , __et__, aujourd'hui vivre
est ma responsabilité.
Je sais que continuer signifie VIVRE _
Ce que je construis à travers sa
mort c'est l'intime rapprochement
d'avec la même , la mienne .

" Pour apprécier la vie tous les jours "
et non seulement quand on saura
que la mort approche il faut avoir
rencontré et accepté comme inévitable
sa propre mort .   p. 10

La mort de Elizabeth Kübler-Ross

La complainte des hivers rouges

Hivernée au fond des trous des bouleaux blancs
ELLE s'écoute en moi devenir...
c'est où,
ce matin qui me hurle de
continuer l'histoire qui tue
mon passé — je suis île, îlot.

«Partir en cocotte de papier». *Ferré*

À qui, À quoi sert l'îlot
s'il n'est pas organiquement lié
aux désirs des sujets en progrès.

Je voudrais me ressaisir dans ce progrès
mais c'est où le RE-commencement...
Créer un langage de paroles et de gestes
Vert comme les conifères en hiver
impossible de fuir la peine qui transperce le corps.
Je la vis car elle est vivante. ELLE VIVAIT.
Je suis à l'entre-vie figée dans mes désirs engourdis.

De cette silencieuse camaraderie j'avais l'habitude
partagée par nous deux seules.

Langage de couleurs, de mouvements
pluriels. Moi seule peut mesurer l'importance
de notre fin, de ta mort, de ton lent
apprivoisement. Moi non plus je ne me laisserai
pas facilement apprivoiser.
Le caractère de notre amitié n'est pas écrit dans
les livres, il était fabriqué dans l'exigence quotidienne
du devenir — il était ma santé —

Pomme de Pin c'est la santé de tous les jours.

J'ai dessiné en mauve les sentiers partagés
de ces heures vécues à deux réconciliées.
C'est à travers cette tiédeur que
j'ai perçu, senti les puissances de vie,
et de là seulement je dirai oui, de
cette généreuse matrice.

Écrire, c'est ma seule survie,
cri, gravé dans les mémoires silencieuses
de mes aïeules tisserandes,
d'avant la connaissance d'elles comme sujet.

Est-il possible aujourd'hui de signifier le potentiel
féminin, où agit-il? L'interaction est omniprésente
entre le lieu où il se dirige et l'image
où sans cesse on le renvoie.
Ça ressemble à quoi un corps social juste?
J'écris dans la nuit froide de l'hiver, lutter contre
le sommeil du travail, la production imposée.
Me maintenir agent d'action c'est sculpter
sur le papier les lignes des fantasmes du matin.
Le JE lié à l'économique pour sa survie.
Pierre angulaire de notre société: LE TRAVAIL
obligation, mode imposé ... À demain
se dit-ELLE...

(20 février 78)

La santé de tous les jours
habite dans cette fine marge
où se conjuguent à la fois,
l'exigence du vivre et sa jouissance.

24 février 1978

Je me suis installée ce soir
dans mon atelier d'art, artisane
où vers ... cette maison qui est mienne
cette grand-mère à jamais morte,
cette petite jument, camarade des grands départs,
des trots envahissants.

Je me vois ainsi, ici ce soir seule ...
Je sens la solitude me pénétrer comme un
vent connu de nos hivers familiers...

Samedi le 4 novembre 78

J'ouvre la cocotte d'argile une dernière fois
Je mijote ton adieu, la souvenance des matins
accompagnés d'une force à chaque fois renouvelée.

Les longs chevaux du repos
souvenance des longs galops
pouliche maintenant ensommeillée

Quoi dire
Quoi écrire, cette mort,
Cette marque de l'absence de perfection.

(janvier 1979)

Fleur de Lys
Adieu
Les jours passés

J'ai aimé pendant huit années une longue jument
aux yeux bleus, camarades d'espaces privilégiés
souvent verts. Sauvage et tendre, elle habita
mon quotidien, c'était ma liberté retrouvée,
là où mon corps exigeant se devait de respecter
l'infini de sa puissance. Un cheval à soi,
c'est une responsabilité et bien souvent une histoire d'amours.
Sa mort c'est un peu ma vieillesse incomprise.

Mercredi le 24 janvier 1979

5 octobre 1979

Au vif du corps
Sa beauté. Mouvance. Son entaille
n'égale que sa solitude première.

La prendre aujourd'hui, la toucher entre
mes mains, ces longs doigts qui savent la
caresse. Ses limites ... les limites de la caresse.
Elle aimait les chevaux.

être sa propre
Sage femme
le 25 mai 1977
À Maryse et Raymond
pour qu'ils continuent
ensemble d'être jeunes.
miko.

76

Être sa propre sage femme

j'écris parfois des ventres durs
tirés, en demi lune, formés par
les choix de vie de plus en plus choisis.
Des ventres de l'effort.

j'écris parfois partout des mots qui sont
élastiques comme mes nerfs.
J'écris ces maisons tièdes enlacées de rues en
rues les matins d'hiver. Et je devine
sur leur corps la tendresse ocre, reposée
du jour qui RE- commence.
Laissez Moi aussi re-commencer à chaque
matin le réveil.

6/7 mars 1978.

J'aimerais m'écrire toute une journée,
étendue sur la mer, entre le
soleil blanc et la neige ...
et respirer les énergies en moi,
qui me parleraient de celles des autres
et me donneraient leur adresse.
Peut-être qu'ainsi j'agrandirais
mon potager et partagerais mon
repas.

Samedi soir le 11 mars 1978.

Pomme de pin est reprise de l'histoire et aujourd'hui gravite autour d'elle-même, se fait légère.

Tout d'abord bien se sentir dans sa peau, le contrôle du corps. Être proche du tactile, le corps souple.

Pomme de Pin en est seulement là au bord de l'assouplissement, elle se fait eau, rivière pour couler à travers les neiges fondantes du printemps.

J'apprends à aimer le goût simple de l'eau.
Je veux écrire cette eau, la sentir fluide en moi, sentir les autres en moi.
Choisir les autres, s'impliquer, pénétrer l'autre sans possession, Habiter avec elle — l'intime en elle, sans violence, avec connaissance de mon altérité.

ça sert à quoi vivre
si je ne peut plus créer

Créer la saison que j'habite
avec de la neige ,   je transpire
souvent vers la fin de l'hiver

juste au seul du printemps et mon corps
humide sent   les jours en vieillissement .

mercredi 5 avril 1978

Je repars en son

exigeante, je m'entends battre

les veines , couler le sang , je vois

mes yeux bleus qui regardent l'issue :

Sagesse . Je désire la sagesse .

Sage

je suis sage , sauf , sel ,

Solitude , soleil , silence .

je suis SON , je m'entends sonore

J'écris/vis . Tu vis . Tu et Je _

Je blanche regarde les glaces enfanter le printemps
me coule en cette mer mi/ neige et mi/eau
le corps allongé , péniche , bercée par en
moi de l'hiver la mort

jeudi 6 avril 1978

je retrouve ma respiration
revenir à l'intérieur de moi
me toucher et de ce toucher seulement
repartir   iris du printemps
      CHoix   choisir ... je de je l'autre .

en pleine terre
je suis

Retrouver quelques instants comme
marguerite des champs, les champs bleus qui
ne sont pas à moi, vers moi.

Je oubliée suis oubliée
je, seule, dois me resignaliser
avant tout autonome,
j'ai le corps en voyagement
et m'écris telle.

Jeudi 13 avril 1978

le 24 juin fête nationale
je suis sur le TOIT de ma maison
le Vent souffle sur moi des
soleilles, les pignoNS sont verts,
rouges pointus ou Ronds, les TOITS
eux sont plats comme étendus, reposés
au dessus des rues.

La lecture me dit la présence des autres
je suis fatiguée sans arrêt depuis 7 ans.

Tous les jours fastidieux, ceux du Travail qui tue
surtout, celui qui censure La vie même.

Tout éclate
je Vais me tailler à même la terre d'oRigine
un nouveau présent.

Je déchire une à une les phases de mon passé
et je meurs, et je gicle.

il est 4 H sur mon corps BRUN.

Diane et Anne marcHent
dans les rues qui fêtenT.

Je repars en son, exigeante, je m'entends sonore au seuil
de l'inconscient ou suis-je l'inconscient même?
Mon corps touche la proximité de son vieillissement.

SAVOIR refoulé, je touche l'apprentissage d'un
spécifique féminin, je suis en pleine terre
oubliée sans violence. Mes mots sont élastiques
comme mes nerfs. J'ai vu des ventres ronds de femmes
habités d'enfants — lunes ...

Mercredi 5 juillet 1978

Comment trouver l'espace pour écrire. Le droit de choisir
la disponibilité de mon temps. Écrire c'est obligatoirement
m'écrire. M'écrire c'est m'écrier. Me crier que j'y suis,
que je suis en pleine vie. En vie, pleine. Pleine.
Plaine de blés verts.
Pleine d'enfants écrits gonflés de vie.
Dehors par la fenêtre ouverte, le soleil de l'été enfante les chants
trop clairs des oiseaux. Musique me surgit. Deux ou trois fleurs
m'accueillent pourtant, marguerites blanches des champs.
Marguerite du nom d'une grande tante
amoureuse des roses piquantes
celles qui habitent les rosiers fleuris derrière les maisons.

Lundi le 17 juillet 1978

Déjà chaud ce matin de mer
je me sens vieillie de nombreuses vieillesses
vouloir y rester en ce calme tôt des chants d'oiseaux.

Ancrée de sel, j'écris mer en moi la marée, sourde musique.
Je désire rester là en cette mer grise, douce, bleue.
Mon corps orangé cherche sa respiration. Mon corps presqu'île
lourd de tant de solitude, généreux pourtant. Mon corps ocre de
soleil blanc, enflé, plein comme d'un enfant à naître.
La mer se repose des marées, son langage pareil au mien
fabriqué à même les répétitions, les retours, les vagues —
murmures. Et c'était moi. Et c'était elle.
J'aime la MER (e), je touche son vent. Je suis son coquillage
blanchi de marées basses, de sang sablonneux, marquée
par l'absence infinie, inoubliable de la présence
de l'autre en moi.

Je désire produire de moi un petit enfant lumineux et brun
comme la peau chaude de ce sable de juillet,
un petit enfant qui viendrait avec d'autres
habiter la solitude des femmes et des hommes,
un petit enfant qui avec ses mains de désirs
créerait des solidarités nouvelles, fondées sur de larges dessins.

Dimanche matin le 23 juillet 1978,
Ogunquit, Maine

Respirer la mer qui pleut aujourd'hui.
Autour de moi trois petits enfants,
qui sont trois petites filles
nées de deux femmes jeunes.
Trois petits enfants aimés plus que tout au monde
sont là enjoués dans leurs cris et leurs rires.
Je dois respirer, je n'ai presque plus d'encre.
Je suis ici dans la maison grise du bord de la mer.
Où? ici ... dit-elle ...
La marée monte, assise sur la plage, j'entends la mer,
j'entends la mer, je respire le sel, je me désire.
Je veux être là, mer, salée.
Mon écriture n'est pas scientifique. Je ne suis pas scientifique.
Je suis un être coquillage, femme de marées hautes,
femme de brume ocre, femme iode, femme guérisseuse.
Être sa propre sage femme.
Je désire dessiner ce bruit doux de la mer qui va et qui vient.
Mon écriture n'est que la répétition de ces innombrables marées.

Le 1er août 1978

Les amis que j'ai aimés, je les aime encore,
il me suffit de les revoir pour que se continue l'amitié.
Je les aime encore, même quand je ne les vois plus.
Je pense que je suis fidèle et c'est tout.

Aimer plus que tout ses amis, ceux des rires
et des complicités, des échanges et des pactes,
c'est un jour les regarder partir et vivre pour eux.
C'est ça l'amitié, l'exigence du respect de la liberté
de chacun. Celle qu'il choisit en fonction de lui seul,
de son épanouissement à lui. La force de l'amitié habite
au coeur même de la séparation.

Toujours mercredi soir, il est presque
minuit, presque demain, presque moi.

Ce que je sais, un peu de la vieillesse et un peu
de l'amitié ... Je suis entre les deux, vers trente ans.

Écrire pour me comprendre, pour mieux aimer mes amis,
pour mieux habiter la terre-potager.

(6 septembre 1978)

Le 5 septembre 1978.

Le petit prince avait dit " l'essentiel est invisible pour les yeux ".
J'aime ma maison , je ne m'y ennuie jamais .

mercredi soir le 17 septembre 1978

me revoici en ma solitude. Je la sens pour la premiere
fois tendre à devenir généreuse, par généreuse, j'entends
productive. Je balbutie encore, mais dans ma ruche
je prépare un miel à saveur inédite. Je ne vais pas
vivre longtemps, mais je vais me réveiller. Je ne serai
jamais cette vieille femme que j'ai encore rencontré l'autre jour,
avec ses cheveux tout blancs. Je vais mourir jeune,
car déjà je sais la vieillesse, celle de pardonner, d'aimer sans
limite, celle de comprendre sans rien attendre au retour
celle de n'être exigente que pour moi-même.

J'ai la sagesse des anciens, j'aime mes amis pour eux-mêmes,
j'aime mieux ne plus les voir et les savoir mieux ainsi, je
les aime dans les difficiles gestes de la liberté.
Et pour de vrai, ce soir c'est l'automne et je repars
vers cette terre origine — de ma naissance.

J'anticipe, je vis le futur
et je dors l'aujourd'hui présent.
Je suis là, où, là ... aujourd'hui entre le JE:
solitude et le ELLE: sociabilité. Je manque d'oxygène.
La respiration est bloquée quelque part dans mon enfance.
J'hiverne déjà et c'est seulement l'automne...

Lundi 9 octobre 1978

montréal le 10 octobre 1978,
^ ÊTRE SA PROPRE·SAGE·FEMME.
avait-elle écrit sur une écorce
d'érable aux feuilles rouges.

Ce soir, du 30 octobre, je
lutte pour ne pas faiblir, franche
seulement dans cette inaltérable
exigence de perfectibilité que j'ai
pour moi.

Mireille.

samedi 4 novembre 1978.

Je termine ce soir, ce cahier
pivot, entre deux ailes. Ce cahier en
quête de retrouvailles, de créativité.
Je suis sur le bord de l'eau, glace et miroir
je commence et je me vois entre l'eau ...
J'ai vu et je reste.

ici.

Épilogue

Écrire est un geste de la parole
il doit être entendu.

Vivre est seulement possible
quand la survie est assumée, assurée.

Cette angoisse des dessins moyens-âgeux , tissés avec
patience   prend source quelque part dans l'enfance .
Cette angoisse ne trouvera sa configuration que dans
l'art . Ma solitude ne se brisera qu'à travers le
poème / dessin ____ . Mais quand... où ... et Comment ... .

_ mireille lançôt

Mireille Lanctôt. 91

Projet pour bien vieillir ...

Pour dessiner il faut avoir le temps
l'espace d'un moment
prendre pour soi le temps
que l'on alloue aux autres.
Choisir l'imaginaire
comme mode de production.
Écouter ce qui sommeille
aux entrailles de la terre d'origine.

Le 1er juillet 1979

La survie unique
c'est la création,
à partir du réel, c'est-à-dire
ce que l'on perçoit être un élément heureux.
Si le bonheur cesse
c'est que quelque chose n'est pas vous.

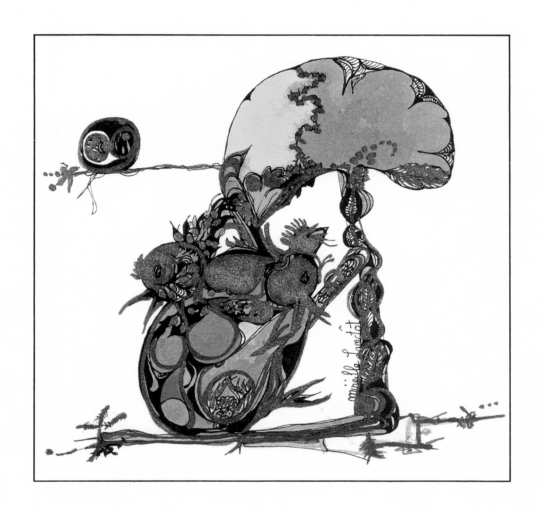

Samedi le 12 septembre
1981.

écrire, écrire, pour ne pas
Tout de suite ' mourir— ...

Qu'est ce que la force intérieure ...
: c'est l'art de ' la solitude ,
celle qui se dessine en nous à partir
du jour premier de notre vie .
La solitude est créatrice et engendre
l'autonomie . L'être sociable est solitaire
et peut en dehors de lui aimer l'autre dans
son altérité , dans sa différence , ailleurs que
dans le champ de la dépendance , de la possession ,
celle qui tue le "je" , individuel , le "je" en progrès ...
Je vis la spiritualisation de mon être , un étrange
détachement d'avec les autres et à la fois je
sens un rapport privilégié à ceux que j'aime
une espèce d'urgence de les dire à travers mon amitié —
Et L'amour c'est pour moi l'histoire du Corps
l'histoire unique des Corps enlacés —. Mireille

– 8 mars
82 .

Dessiner
des géographies
Hiver
givre Fleurs
blanches .

journée de neige
mi - soleil et mi - lumière
mon corps habite sa maison
J'appartiens à l'Hiver
avec toi je glisse
sur de longs patins .

Femme oiseau

miró

Notice biographique

Mireille est née à Montréal le 23 mai 1952. Elle fit ses études primaires et secondaires au Collège Marie-de-France.

Dès son jeune âge elle démontrait un goût marqué pour le dessin. Elle suivit les cours de peinture du frère Jérôme au Collège Notre-Dame.

Plus tard elle travailla en arts plastiques sous la direction du peintre Guy Montpetit au Collège Jean-de-Brébeuf où elle fit ses études collégiales. Après une année à l'Université Bishop de Lennoxville, elle étudia à l'Université de Sherbrooke. Détentrice d'un B.A. en Lettres en 1974, Mireille revint à Montréal poursuivre ses études à l'Université du Québec. Elle obtint une Maîtrise à l'UQAM en études littéraires sous la direction de Madeleine Gagnon en 1977. Son Mémoire s'intitulait *Questionnement sur l'écriture féminine*.

> «Je partageai avec enthousiasme ses premières intuitions.
> Nous avons expérimenté nos premières hypothèses dans le bonheur d'une double évidence: la naissance d'une merveilleuse écriture qui allait se poursuivre jusque dans ses derniers cahiers, au-delà de cette Mémoire qui l'avait fait accéder à sa propre écriture; mais aussi la naissance d'une grande amitié qui allait tisser entre nous des liens inédits et indéfectibles.»

Madeleine Gagnon — *Passage*, «Le désir et la mort», no 3, Printemps-été 1984, p.10.
(Revue de l'association des auteurs des Cantons de l'Est).

Depuis son enfance, Mireille adorait les animaux. Elle eut pour le cheval une véritable passion. En 1971, elle fit l'acquisition d'un jeune pur-sang qu'elle baptisa Fleur de Lys. En 1978, suite à un accident, son cheval mourut. Ce fut pour Mireille une séparation très douloureuse. Elle écrivit sur Fleur de nombreux poèmes.

La mort de sa grand-mère, Aurélie Codère Trottier, le huit juin 1976, marque profondément Mireille. Elle écrit à sa mémoire un poème intitulé la «Cocotte d'argile» dans la *Nouvelle barre du jour*, «Le corps, les mots et l'imaginaire», no 56-57, mai-août 1977.

Mireille avait insisté pour que son texte manuscrit soit imprimé tel quel. Le caractère avait cependant dû en être réduit lors de sa première publication.

La calligraphie faisant partie intégrante de son écriture, j'ai voulu reproduire dans ce recueil le texte original de la «Cocotte d'argile» pour le situer dans son contexte.

Ce poème, traduit en anglais par Barbara Godard, parut dans *Room of One's Own*, (Vol. 4, nos 1 et 2, Vancouver, 1978).

Mireille illustre également de dessins à l'encre noire le livre de Germaine Beaulieu intitulé: *Envoie ta foudre jusqu'à la mort, Abracadabra* (éd. de la Pleine Lune, 1977).

Dans une émission télévisée *Femme d'aujourd'hui*, à Radio-Canada, le 28 septembre 1977, France Labbé interroge Mireille sur le sens de ses illustrations:

«Mes dessins sont à l'origine d'une amitié nouvelle. Ils ne sont pas vraiment une illustration, mais une écriture parallèle à celle de Germaine. Le texte m'est apparu comme un seuil, une terre où je pourrais me coucher, vivre des fantasmes, des désirs et leur donner une matérialité nouvelle. Le dessin pour moi est une vie parallèle à l'écriture. J'ai habité ces dessins, je leur ai donné une naissance nouvelle et différente, j'ai fait ressortir le non-dit à travers ma sensibilité».

En 1980, Mireille parachève ses dessins en y ajoutant de la couleur. Ces dessins et quelques autres, inédits, sont reproduits ici.

Elle illustre également la page couverture du livre de Jean Forest intitulé: *Le mur de Berlin, P.Q.* (éd. Quinze, 1983).

Mireille entre au Centre des données de Radio-Canada en 1977. À l'automne 1978, elle est la recherchiste de Pierre Nadeau à l'émission Télé-Mag. En octobre 1979, elle participe comme journaliste à la série télévisée *Réflexions sur une petite planète* parrainée par les Nations Unies. En compagnie du réalisateur Pierre Charlebois, elle visite l'Inde, l'Afrique, le Brésil et le Pérou. Mireille est profondément touchée par ce voyage.

En 1981, en coopération avec Raphaël Pirro, elle travaille comme recherchiste-interviewer pour une série de 15 émissions radiophoniques à Radio-Canada, intitulée *Victoire sur le non-sens,* à la mémoire de Pierre Teilhard de Chardin.

Au moment de sa mort, Mireille était journaliste à la Société Radio-Canada, à l'émission *Second Regard*, magazine télévisé hebdomadaire. Elle y travaillait depuis septembre 1980. Cette émission religieuse, dans un sens très large, se veut un questionnement, une réflexion sur les valeurs, de la pensée de Pierre Teilhard de Chardin jusqu'à la problématique de la paix et du désarmement.

Poète, artiste, philosophe, Mireille avait une urgence de vivre!

Son questionnement portait sur l'écriture féminine mais aussi sur le sens de la vie, de l'amitié, de l'amour, de la vieillesse et de la mort elle-même.

Il faudrait imaginer Mireille heureuse.

Maryse Trottier Lanctôt

Table des matières

Préalable à la Cocotte d'argile   11

La Cocotte d'argile   17

Pomme de Pin   31

Fleur de Lys
pouliche ensommeillée   63

Être sa propre
sage femme   77

Épilogue   105

Je remercie très sincèrement Madeleine Gagnon, le Père Benoît Lacroix et Joseph Bonenfant pour leur aide et leur soutien.

Toute ma tendresse et mon amitié à tous les amis de Mireille qui m'ont entourée d'affection, faisant en sorte qu'elle reste présente parmi nous.

Maryse Trottier Lanctôt

Les dessins des pages 45-95-118-119 datent de 1969.

Achevé d'imprimer à Montmagny
par les travailleurs des ateliers Marquis Ltée
en août 1985